513

Collection folio benjamin

Traduction : Marie Lallouet

ISBN : 2-07-039200-7
Titre original : I'm coming to get you
Publié par Andersen Press Ltd

Numéro d'édition: 43820
Dépôt légal: septembre 1988
Imprimé par La Editoriale Libraria

Attends que je t'attrape!

Tony Ross

Gallimard

Au fin fond d'une lointaine galaxie,

un vaisseau spatial filait droit
sur une adorable petite planète.

À peine posé, le vaisseau s'ouvrit
et un effroyable monstre en sortit.

« Attendez un peu que je vous attrape ! » rugit-il.

Le monstre sema la terreur
parmi l'aimable peuple
des bananes qui vivait là.

Il renversa leurs statues,
éparpilla leurs livres.

Il dévora les montagnes,

engloutit les océans, et garda
les méduses pour le dessert.

Il dévora la planète entière,
sauf le cœur,
qui était vraiment trop chaud,

et les deux bouts, qui étaient
vraiment trop froids.

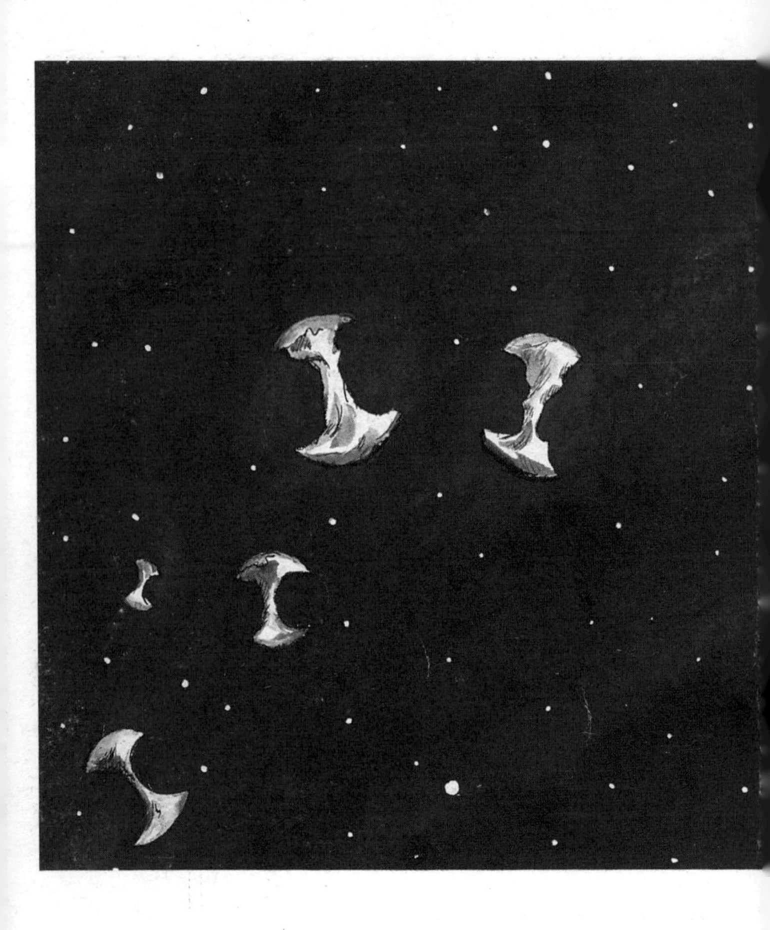

Comme il avait encore faim,
le monstre remonta
dans son vaisseau spatial,

grignota quelques étoiles
en chemin, et se dirigea
vers une appétissante
planète bleue : la Terre.

Sur l'écran de son radar,
le monstre détecta le petit
Léo Olivet.
« Attends un peu que je t'attrape ! »
rugit-il.

Dans la maison de Léo,
c'était l'heure d'aller se coucher,
et l'on écoutait une histoire
de monstres effroyables.

Le vaisseau spatial se rapprocha de la Terre et le monstre découvrit où habitait Léo Olivet.

Il fit le tour de la ville
pour trouver sa maison.

Quand Léo monta se coucher,
il s'arrêta à chaque marche
pour être bien sûr
qu'aucun monstre ne le guettait,

et il inspecta tous les endroits
où les monstres se cachent
habituellement.

Soudain, il crut entendre un bruit contre sa fenêtre.

Pendant ce temps-là,
caché derrière un rocher,
le monstre se préparait.
« Attends un peu que je t'attrape ! »
susurrait-il.

Le lendemain matin,
Léo avait oublié
toutes ces histoires de monstres
et s'en allait le cœur léger
à l'école...

C'est à ce moment-là que,
dans un rugissement effroyable,
le monstre surgit.

BIOGRAPHIE

Tony Ross vit en Angleterre, au bord de la mer, dans une splendide vieille demeure de Devon, avec sa femme et ses filles.
Après ses études, il travaille dans la publicité puis devient professeur à l'école des Beaux-Arts de Manchester. Grâce à lui, beaucoup de jeunes illustrateurs de talent se sont révélés. Mais ce qu'il aime avant tout c'est raconter des histoires aux enfants et les faire rire.
Tony Ross croit au Père Noël et adore les contes de fées. Ces histoires qui font faussement peur et qui, en vrai, rassurent. Il les adapte en images légères et insolentes, en ajoutant plein de détails de son invention.
Dans la collection Folio benjamin, tu connais peut-être déjà les autres livres de Tony Ross : *Le Petit Chaperon rouge*, *Jack et le haricot magique*, *Boucle d'or et les trois ours*, *le Chat botté*, *Tristan la teigne*, *Le garçon qui criait «Au loup!»*, *Je veux mon p'titpot*, *Adrien qui ne fait rien*.

Pour les benjamins qui aiment rire

N° 59 - Bizardos
J. et A. Ahlberg
N° 74 - Le monstre Poilu
H. Bichonnier / Pef
N°121 - Le roi des bons
H. Bichonnier / Pef
N°143 - Pincemi et Pincemoi et la sorcière
H. Bichonnier / Pef
N°126 - J'ai un problème avec ma mère
B. Cole
N°194 - Princesse Finemouche
B. Cole
N° 15 - L'énorme crocodile
R. Dahl / Q. Blake
N°102 - Mathilde et le corbeau
W. Gage / D. Hafner
N° 16 - Mathilde et le fantôme
W. Gage / D. Hafner
N°123 - La chasse à l'ours
W. Gage / J. Stevenson
N°103 - Fier de l'Aile
H. Heine
N°104 - Le plus bel œuf du monde
H. Heine
N° 71 - Le mariage de cochonnet
H. Heine
N° 55 - Dragon et Cie
R. Hoban / Q. Blake
N° 72 - Tom Batifole
R. Hoban / Q. Blake

N°101 - Tom Bricole
R. Hoban / Q. Blake
N°158 - Je suis un chasseur
M. Mayer
N° 76 - Il y a un cauchemar dans mon placard
M. Mayer
N° 10 - Si j'avais un gorille
M. Mayer
N° 58 - Les deux amiraux
D. McKee
N°144 - Bernard et le monstre
D. McKee
N° 27 - Les Pirates
C. McNaughton
N° 48 -Fou de Football
C. McNaughton
N° 48 -Gros cochon
C. McNaughton
N° 26 -La course des rats
C. McNaughton
N° 70 -Le roi Eric le Naïf
C. McNaughton
N° 37 - La belle lisse poire du prince de Motordu
Pef
N°105 - Rendez-moi mes poux !
Pef
N°181 - Vincent Nédelou
P. Ribes / J. Stevenson
N°156 -Le garçon qui criait au loup
T. Ross
N° 69 - Jack et le haricot magique
T. Ross

N°136 - Tristan la teigne
T. Ross
N°195 -Adrien qui ne fait rien
T. Ross
N°162 -Les malheurs d'Imogène
D. Small
N°151-Les Clowns
L. Varvasovszky
N° 91 - La bicyclette de l'ours
E. Warren McLeod / D. McPhail
N°191 -L'histoire de Kiki Grabouille
J. Willis / M. Chamberlain
N° 33 - La révolte des lavandières
J. Yeoman / Q. Blake
N° 18 - Le chat ne sachant pas chasser
J. Yeoman / Q. Blake

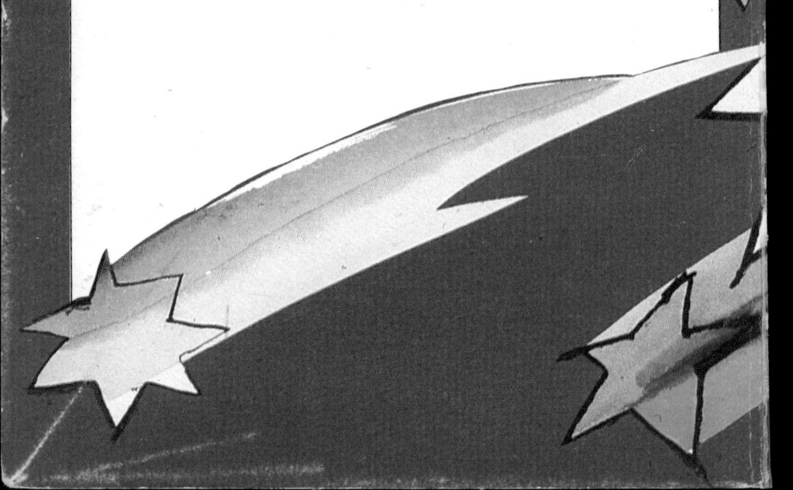